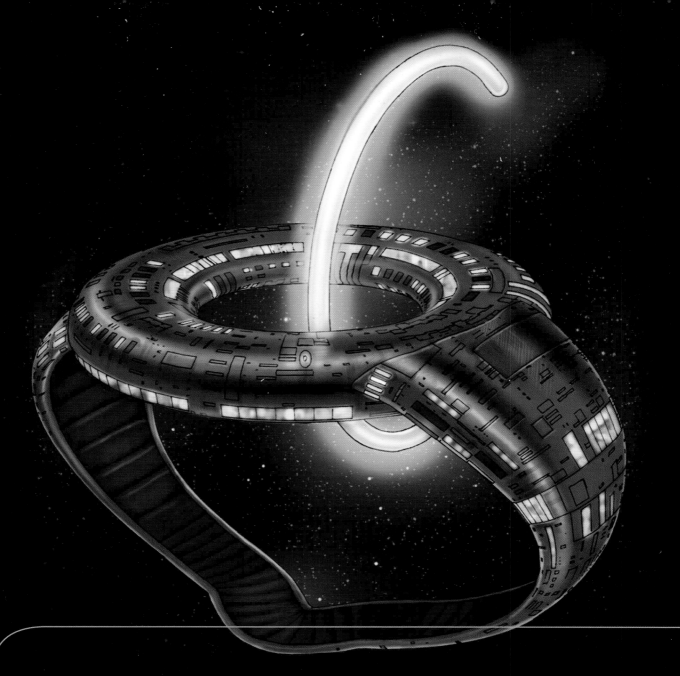

Les Technopères

tome 2

L'École pénitentiaire de Nohope

Scénario d' **Alexandro Jodorowsky**

Dessin de **Zoran Janjetov**

Mise en couleur numérique de **Fred Beltran**

Les Humanoïdes Associés

Les Humanoïdes Associés sur le Web
http://www.humano.com

Conception graphique : Didier Gonord
Adaptation française : Eric Mettout
Programmation et assistance 3D pour Zoran Janjetov : Slavko Dervisevic

LES TECHNOPÈRES TOME 2
L'ÉCOLE PÉNITENTIARE DE NOHOPE

Première édition : 1999 - LES HUMANOÏDES ASSOCIÉS
© 1999 Les Humanoïdes Associés S.A. - Genève

Photogravure : Evolution - Tournai. Belgique.
Achevé d'imprimer en octobre 1999
sur les presses de l'imprimerie Lesaffre - Tournai. Belgique.

Dépôt légal novembre 1999

ISBN : 2 7316 1376 9
43 4864 5

LE LONG CHEMIN DE L'EXIL ÉTAIT SEMÉ D'EMBÛCHES, DE NAVIRES PRÉDATEURS, DE BARBARES PRE-PSYCHOS...

SAINT PALÉODOUAR! LA PROIE EST UN CARGO DÉSARMÉ! MIAM, NOUS ALLONS BIENTÔT MANGER DE LA CHAIR FRAÎCHE!

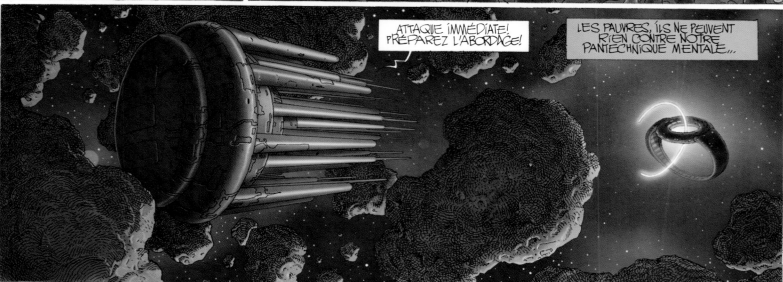

ATTAQUE IMMÉDIATE! PRÉPAREZ L'ABORDAGE!

LES PAUVRES, ILS NE PEUVENT RIEN CONTRE NOTRE PANTECHNIQUE MENTALE...

CHARGE FRANCHE! PRÉDATEUR À MULTILASERS NON-PSYCHIQUES!

CONTRE-ATTAQUE MENTALE SIMPLE, PRÊT!

QUEL ORGUEIL INSENSÉ!

3

OSER CROIRE QUE LA MATIÈRE EST PLUS RAPIDE QUE L'ESPRIT!

BARGES D'ABORDAGE, PRÊTES!

RÉPUGNANTS MUTANTS ANTHROPOPHAGES!

INTENSITÉ CRITIQUE!

OUVERTURE DU BOUCLIER ENTONNOIR!

COMMENT ONT-ILS PU EN ARRIVER À ÇA?

4

5

6

DU CALME, MANITO, LA VIOLENCE PHYSIQUE NE T'AIDERA EN RIEN!

NOOON! JE NE VEUX PAS ALLER DANS CETTE PRISON DE MERDE! OBÉIR, C'EST MOURIR! JE VEUX MA LIBERTÉ!

SEUL LE POUVOIR VIRTUEL EST INVINCIBLE, GRAINE DE CRÉTIN!

J'AIMERAIS, ALBINO, QUE TU NE PRENNES PAS EXEMPLE SUR TON COMPAGNON D'ÉTUDES! SE REBELLER NE LUI SERVIRA À RIEN! IL VA APPRENDRE LA DISCIPLINE ET Y LAISSERA TOUTES SES DENTS! PERSONNE NE PEUT S'ÉVADER DE NOTRE SECTE PAN-TECHNOS! LE CONTRAT NE PREND FIN QU'AVEC LA MORT!

JE COMPRENDS, MAÎTRE ELDONZO. JE SUIS DISPOSÉ À OBÉIR.

EN CE JOUR HOSTILE, UN VENT GALACTIQUE POUSSAIT NOTRE ORNYTHOPTÈRE VERS L'ÉCOLE PÉNITENTIAIRE DE NOHOPE...

TUEZ-MOI SI VOUS VOULEZ! JE N'OBÉIRAI JAMAIS!

BIEN QU'AYANT TOUJOURS DÉSIRÉ ÊTRE CRÉATEUR DE JEUX DANS UNE USINE PAN-TECHNO, INVENTER DES AVENTURES MERVEILLEUSES DANS DES MONDES VIRTUELS POUR NOURRIR DE MON IMAGINATION L'ÂME DE NOTRE GALAXIE MAUDITE, J'AURAIS VOULU ALORS, TREMBLANT DE TOUT MON CORPS, NE JAMAIS ARRIVER EN CE LIEU EFFRAYANT...

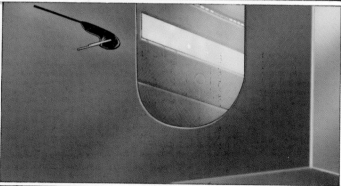

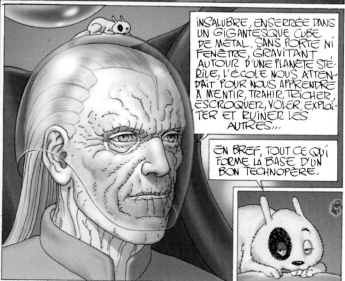

INSALUBRE, ENSERRÉE DANS UN GIGANTESQUE CUBE DE MÉTAL, SANS PORTE NI FENÊTRE, GRAVITANT AUTOUR D'UNE PLANÈTE STÉRILE, L'ÉCOLE NOUS ATTENDAIT POUR NOUS APPRENDRE À MENTIR, TRAHIR, TRICHER, ESCROQUER, VOLER, EXPLOITER ET RUINER LES AUTRES...

EN BREF, TOUT CE QUI FORME LA BASE D'UN BON TECHNOPÈRE.

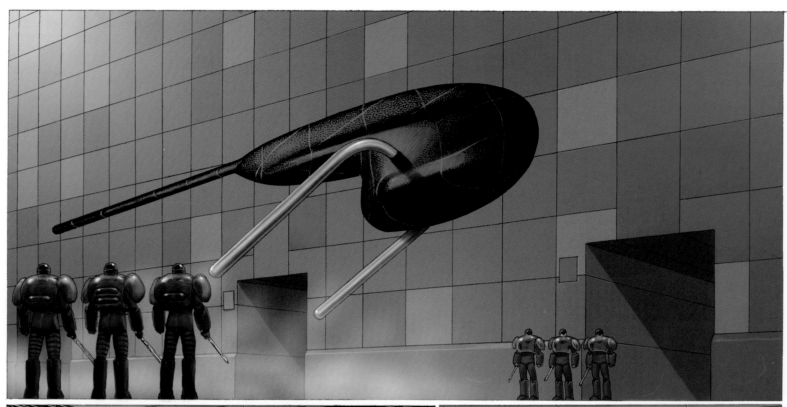

DESCENDS, DÉMON! SI TU N'ÉTAIS PAS INTELLECTUEL-LEMENT SUR-DOUÉ, JE TE COUPERAIS LA TÊTE!

LES DÉMONS, C'EST VOUS! JE VEUX RETOURNER SUR MA PLANÈTE VERTE! JE CONCHIE LA TECHNIQUE!

UN INFECT RÉTRO-TROGLOSOCIALIK!

ON VA S'OCCUPER DE LUI!

IL FAUT LE MATER!

C'EST ICI QUE JE TE DIS AU REVOIR, ALBINO, TU AS UN AN POUR RÉUSSIR TES EXAMENS OU POUR MOURIR.

JE VEUX ÊTRE CRÉATEUR DE JEUX! JE NE FAILLIRAI PAS!

UGH!
AÏE!
KKMM!

NOUS PROGRESSIONS À TRAVERS DES COULOIRS D'UN FROID SINISTRE. SUR CE SATELLITE, TOUT ÉTAIT MÉTAL, LE SOL, LES MURS, LES PLAFONDS, IL N'Y AVAIT NI PLANTES, NI COURS D'EAU, NI ANIMAUX, NI NUIT, NI JOUR, TOUT CE QUI POUVAIT RAPPELER LA NATURE AVAIT ÉTÉ ÉLIMINÉ, LE CERVEAU PAN-TECHNO LE CONTRÔLAIT ENTIÈREMENT.

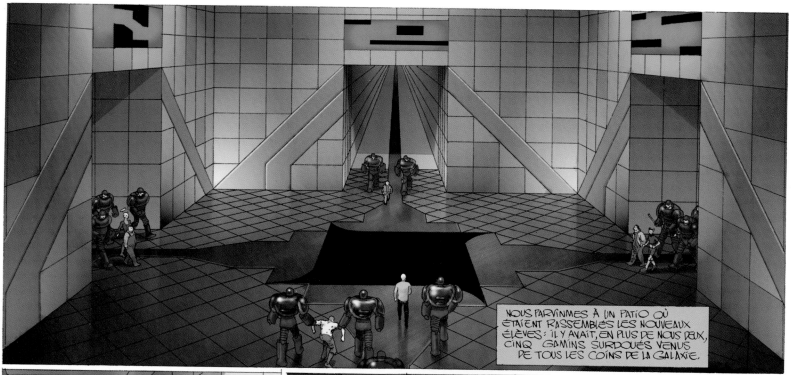

NOUS PARVÎNMES À UN PATIO OÙ ÉTAIENT RASSEMBLÉS LES NOUVEAUX ÉLÈVES : IL Y AVAIT, EN PLUS DE NOUS DEUX, CINQ GAMINS SURDOUÉS VENUS DE TOUS LES COINS DE LA GALAXIE.

PAR LA PORTE NORD ENTRÈRENT BURBL ET SES MOUVEMENTS LENTS, DISSIMULANT DERRIÈRE UN RIDEAU DE CHAIR UNE INTELLI-GENCE FULGURANTE... ET MIRTHO, L'ARISTOCRATE AUX GESTES DE CHATTE DE RACE, ARBORANT FIÈREMENT SA MEURTRIÈRE AURÉOLE ARTIFICIELLE.

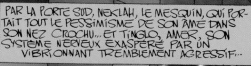

PAR LA PORTE SUD, NEKLAH, LE MESQUIN, QUI POR-TAIT TOUT LE PESSIMISME DE SON ÂME DANS SON NEZ CROCHU... ET TINGLO, AMER, SON SYSTÈME NERVEUX EXASPÉRÉ PAR UN VIBRIONNANT TREMBLEMENT AGRESSIF...

ET PAR LA PORTE EST, HOUTRIYO, L'HYPOCRITE, LÂCHE COMME UNE PALÉO-HYÈNE, QUI CACHAIT MILLE VENINS SOUS SON HIDEUX SOURIRE.

PARMI CES JEUNES RANCUNIERS, PLEIN JUSQU'À EN ÉCLATER D'UNE HAINE BRUTALE, MOI, PACIFIQUE ET IDÉALISTE VERMISSEAU BLANC, JE PARAISSAIS CONDAMNÉ À ÊTRE ÉCRASÉ, NON PAS TANT PAR EUX QUE...

... PAR LES BOTTES D'ACIER DE MERODAK, NOTRE TECHNO-DIRECTEUR CYBORG FAIT À 80% DE GREFFES MÉCANIQUES, À 20% DE CHAIR ET D'OS !

C'EST LÀ TOUT CE QUE NOUS A ENVOYÉ NOTRE TECHNOÉVÊQUE? SEPT RATS PUANTS ET ENRAGÉS, DONT JE DOIS FAIRE DES TECHNOMOINES CRÉATEURS DE JEUX!

C'EST ME DEMANDER DE TRANSFORMER L'ORDURE EN OR! RIDICULE!

REMETTEZ CE CRÉTIN DEBOUT! JE VAIS LUI ÔTER TOUT ESPOIR DE S'ÉVADER UN JOUR DE NOTRE SAINTE ÉCOLE!

ALLEZ, ALLEZ, ALLEZ! UN TROGLOSOCIALIK ROMANTIQUE QUI RÊVE DE RETOURNER À SES BIO-FORÊTS VERT ESPÉRANCE... HA HA!

LÂCHEZ-MOI, CHIENS ABJECTS! PERSONNE NE POURRA M'EMPÊCHER DE M'ENFUIR!

SANS PIEDS, TU N'IRAS NULLE PART, IMBÉCILE!

UN CRÉATEUR DE JEUX N'A PAS BESOIN DE PIEDS! SON CERVEAU SUFFIT! EMMENEZ-LE À L'INFIRMERIE, ET COLLEZ-LE DANS UN FAUTEUIL POUR TOUJOURS!

GGGH! ASSASSIN!

ICI, TAS DE GRAISSE, TU AURAS LE DROIT DE DIRE **OUI**, JAMAIS DE DIRE **NON**!

ICI, FEMMELETTE, AU LIEU D'UN NOM ENCOMBRANT ET DE TA PUTAIN D'AURÉOLE, TU N'AURAS, COMME LES AUTRES PLÉBÉIENS, QU'UN MISÉRABLE NUMÉRO.

D'ICI, ORDURE, TU NE POURRAS JAMAIS T'ÉCHAPPER: LA PLANÈTE STÉRILE AUTOUR DE LAQUELLE NOUS TOURNONS N'EST QU'UN TAS DE PIERRES VÉNÉNEUSES!

ICI, PUTE HYSTÉRIQUE, LA MOINDRE ERREUR PEUT TE FAIRE PERDRE UNE PARTIE DE TON CORPS RÉPUGNANT!

ICI, VIPÈRE FÉTIDE, TU DEVRAS DIRE MERCI À CEUX QUI TE PUNISSENT!

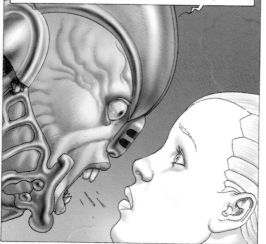

ICI, MICROBE LAITEUX, NOUS NE TOLÉRONS QUE LES CHAMPIONS! JE NE PEUX IMAGINER POUR QUELLE RAISON VICIÉE UN ÉTRON MINABLE COMME TOI NOUS A ÉTÉ ENVOYÉ! J'AI PEUR QUE, POUR TOI, CUBE-SATELLITE SOIT MOINS UNE ÉCOLE QU'UN ABATTOIR!

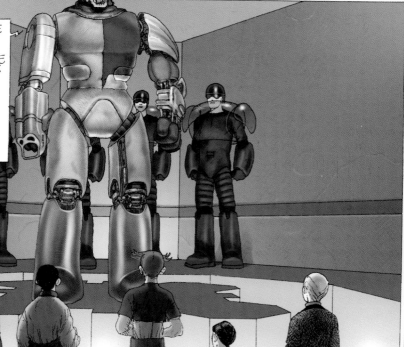

VOUS ALLEZ DESCENDRE IMMÉDIATEMENT AU TECHNO-DOJO, ET LÀ NOUS VERRONS QUEL GENRE DE GUERRIERS VIRTUELS VOUS ÊTES! VOUS ALLEZ COMBATTRE ENTRE VOUS! LE VAINQUEUR AURA DROIT À UN ENSEIGNEMENT PARTICULIER, LES SIX PERDANTS PERDRONT AUSSI UNE MAIN!

ILS NOUS PLACÈRENT AUTOUR D'UNE ÉNORME PLAQUE SENSIBLE DE MATÉRIALISATION VIRTUELLE ET CHACUN DE NOUS FUT CONNECTÉ PAR LA TÊTE À UN ORDINATEUR MODELANT NON DIGITAL SOPHISTIQUÉ...

UN MODÈLE MYTHIQUE, LE TÉTRAKAN-SUPERMONOBLOK, QUE, SANS LE CONNAÎTRE, TU AVAIS TOUJOURS RÊVÉ DE CÉLÉBRALISER!

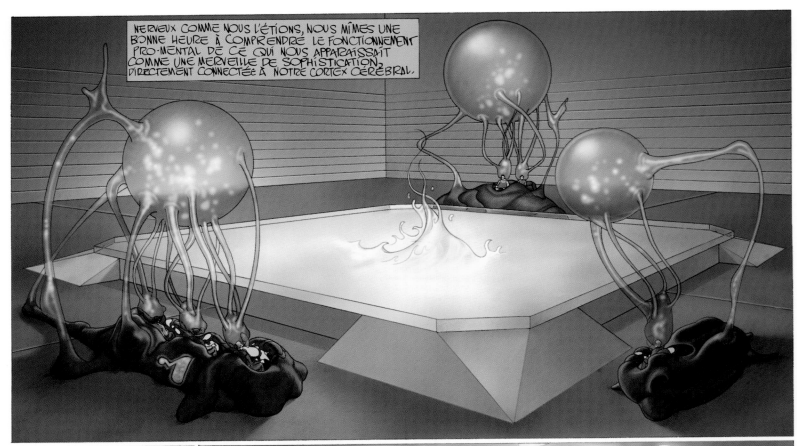

NERVEUX COMME NOUS L'ÉTIONS, NOUS MÎMES UNE BONNE HEURE À COMPRENDRE LE FONCTIONNEMENT PRO-MENTAL DE CE QUI NOUS APPARAISSAIT COMME UNE MERVEILLE DE SOPHISTICATION, DIRECTEMENT CONNECTÉE À NOTRE CORTEX CÉRÉBRAL.

CHIENNE, OBÉIS À MES ORDRES! IL FAUT QUE JE SOIS LE MAÎTRE! UN ARTISTO NE PERD JAMAIS SON AURÉOLE! EN VOILÀ MILLE!

GUIDÉ PAR SA PARANOÏA, DE MIRTHO S'ACTIVAIT À MATÉRIALISER UNE MÉDUSE TRICÉPHALE.

« LA LUI RETOURNA DÉCUPLÉE !

VAINCU PAR UNE PERFIDIE SANS HONNEUR, QUELLE HORREUR ! JE M'ÉVANOUIS !

L'ADRESSE PLUTÔT QUE LA FORCE ! J'AI GAGNÉ !

NE CRIE PAS VICTOIRE TROP TÔT, TINGLO ! VOICI MON DIABLODACTYLE !

ET VOICI MA GARGANTORTUE !

UNISSANT LEURS FORCES, BURBL ET NEKLAH VAINQUIRENT AVEC UNE RELATIVE FACILITÉ LE MONSTRE DE TINGLO. PUIS, ILS ATTAQUÈRENT LE DRAGO-ÉPIC MATÉRIALISÉ PAR HOUTRIYO...

15

17

21

MAÎTRE ELDONZO!

GULP! LES BOURREAUX!

PITIÉ!

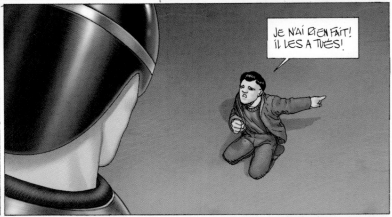

JE N'AI RIEN FAIT! IL LES A TUÉS!

LÂCHE, MISÉRABLE TRAÎTRE, TU NE MÉRITES PAS D'EXISTER!

NON, MAÎTRE ELDONZO! HOUTRIYO EST ENCORE UN ENFANT! PUNISSEZ-MOI! JE SUIS L'UNIQUE COUPABLE!

HA HA! CE N'EST QU'UN ROBOT!

MERODAK ÉTAIT LUI AUSSI UN ROBOT... HA HA!

COMME L'ÉTAIENT ÉGALEMENT LES GARDIENS!

ALBINO, TU N'AS TUÉ PERSONNE! NOUS T'AVONS SOUMIS À UNE ÉPREUVE! ET TU AS TRIOMPHÉ!

TU AS FAIT CE QU'AUCUN NOUVEL ÉLÈVE JUSQUE-LÀ N'ÉTAIT JAMAIS PARVENU À FAIRE: L'UNION, NON DIGITALE, AVEC UN TETRAKAN-SUPERMONOBLOK!

TU AS MONTRÉ LA VAILLANCE, L'INTELLIGENCE, L'ESPRIT DE GROUPE ET LES QUALITÉS MENTALES D'UN LEADER MUTANT!

SI TU TRIOMPHES DES PROCHAINES ÉPREUVES, TU SERAS UN JOUR UN GRAND CRÉATEUR DE JEUX, ET PEUT-ÊTRE MIEUX ENCORE!

MIEUX ENCORE? QU'Y A-T-IL DE MIEUX?

UN BAN POUR ALBINO! HOURRA!

23

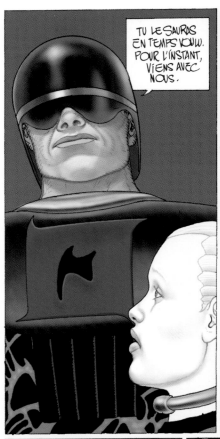

TU LE SAURAS EN TEMPS VOULU. POUR L'INSTANT, VIENS AVEC NOUS.

TU VAS COMMENCER DES ÉTUDES DE HAUT NIVEAU! NOUS ALLONS VOIR SI TES LOBES CÉRÉBRAUX Y RÉSISTERONT!

ILS RÉSISTERONT, MAÎTRE ELDONZO!

HHHFFFs!

NHHFFFs!

HHHFFs!

HHHFFs!

HHAFFFS!

HFFF

HHHFFFSs!

ET QUAND MAÎTRE ELDONZO ET LES BOURREAUX EURENT DISPARU, JE ME SENTIS ABANDONNÉ. UN PAUVRE VERMISSEAU BLÊME, ACCOMPAGNÉ PAR CINQ ENFANTS DÉBILES, QUI ALLAIT DEVOIR AFFRONTER SEUL L'IMMENSE ÉCOLE PÉNITENTIAIRE DE NOHOPE...

EH! ATTENDEZ-MOI!

AH, QUELLE TERRIBLE RÉCEPTION! AUJOURD'HUI ENCORE, ALORS QUE PRÈS D'UN SIÈCLE A PASSÉ, LE SOUVENIR EST DOULOUREUX...

OUI, ALBINO, TOI, AVEC TON ÂME D'ENFANT INNOCENT, TU AVAIS CONFIANCE DANS MAÎTRE ELDONZO, ET S'IL S'EST COMPORTÉ EN SBIRE IMPITOYABLE...

C'EST AINSI, TINIGRIFI...

NOOON!

SUR NOHOPE, IL N'Y AVAIT PAS DE PROFESSEURS, MAIS DES MACHINES À IMPLANTS...

ILS NOUS GREFFÈRENT DANS LE CERVEAU, POUR LA VIE, UN TRIPROCESSEUR BIOPHOTONIQUE 5,040...

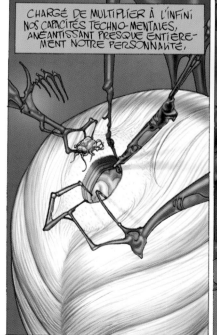

CHARGÉ DE MULTIPLIER À L'INFINI NOS CAPACITÉS TECHNO-MENTALES, ANÉANTISSANT PRESQUE ENTIÈREMENT NOTRE PERSONNALITÉ,

QUAND NOUS NOUS LEVÂMES DES TABLES D'OPÉRATION, AVANT MÊME D'AVOIR PU NOUS ADAPTER À LA GREFFE, NOUS NE SAVIONS PLUS QUI ET OÙ NOUS ÉTIONS, NI MÊME DANS QUEL TEMPS NOUS VIVIONS...

?

BON SANG DE MERDE, OÙ SOMMES NOUS?

SIGH!

PALÉO-DIABLE, QUI SUIS-JE?

GASP!

!!

COMME UN GIGANTESQUE PENDULE, LE TEMPS OSCILLAIT DU PASSÉ LE PLUS LOINTAIN AU FUTUR LE PLUS ÉLOIGNÉ, AUJOURD'HUI ADVENAIT EN MÊME TEMPS QU'HIER ET QUE DEMAIN....

JE SUS QUELLE SORTE D'ÊTRE BESTIAL ÉTAIT TAPI AU FOND DE MA PLUS ANTIQUE INCARNATION....

JE ME VIS ÉGALEMENT PRESQUE À LA FIN DES TEMPS, VOGUER ENTRE LES GALAXIES, J'ÉTAIS DEVENU UNE IMMENSE ET SUBLIME ENTITÉ ANGÉLIQUE.

ALORS QUE MES COMPAGNONS EURENT POUR CELA BESOIN DE PLUS DE TROIS MOIS, J'AVAIS, EN DEUX SEMAINES, RÉCUPÉRÉ MON MOI, MON ICI ET MON MAINTENANT.... C'EST ALORS QUE LE PIRE INTERVINT.

DES ENTRAILLES DE MON TECHNO-ESPRIT SURGIT UNE PARTIE DE MOI QUE J'AVAIS HONTEUSEMENT REFOULÉE DEPUIS TOUJOURS : UN EGO PRIMITIF, CRUEL ET ÉGOÏSTE.

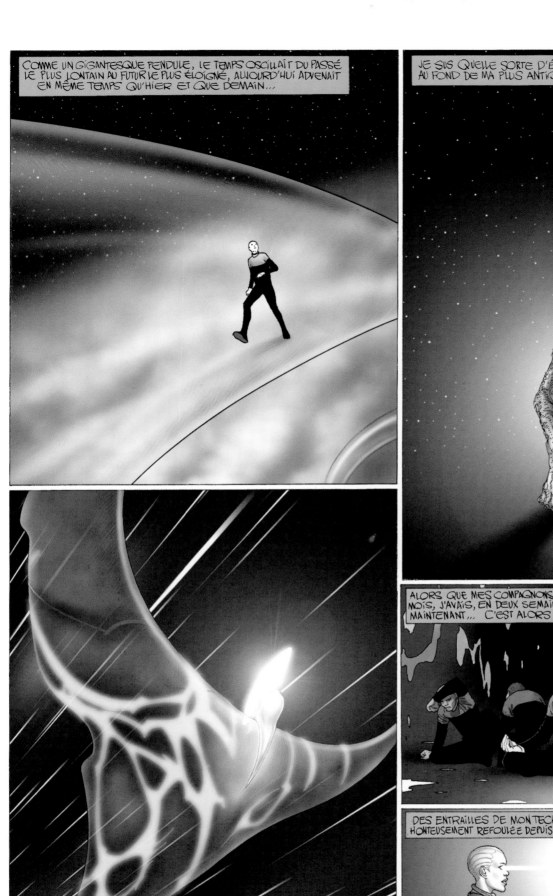

MON ORDINATEUR INTRA-CÉRÉBRAL M'OBLIGEAIT À LE SORTIR EN PLEINE LUMIÈRE, À LUI DONNER UNE VOIX ET, PIRE ENCORE, À EN FAIRE MON GUIDE.

ARRÊTE TES CONNERIES! VIENS! FICHONS LE CAMP DE CETTE SALOPERIE DE MONDE "RÉEL"! ON VA ÉTUDIER À L'ÉCOLE VIRTUELLE DES SURDOUÉS...

TU N'AS RIEN À VOIR AVEC MOI! TU N'ES QU'UN TRUC TECHNO DE MON TRIPROCES-SEUR BIO-P...

FOUTAISES! NE DIS PAS UN MOT ET SUIS-MOI! JE VAIS T'ÉTONNER!

VOILÀ LA VÉRITABLE ÉCOLE DE NOHOPE, INTEMPO-RELLE ET IMMATÉRIELLE... RÉSERVÉE AUX SURDOUÉS. MAÎTRE VERGARA, LE TECHNO-BOURREAU, NOUS ATTEND.

DITES-MOI, VERMISSEAUX, POURQUOI ÊTES-VOUS VENUS JUSQU'ICI?

POUR APPRENDRE À CRÉER DE BEAUX JEUX, MAÎTRE!

MAIS NON, CRÉTIN! NOUS SOMMES ICI POUR APPRENDRE À LES VENDRE!

EXACTEMENT, GAMINS: AVANT DE CRÉER DES JEUX, IL FAUT SAVOIR QUI VA LES ACHETER ET COMMENT LES EMBOBINER POUR QU'ILS VIENNENT SE PRENDRE DANS NOS FILETS DE VENTE.

LES CITOYENS NON-TECHNOS, AUTREMENT DIT NOS CLIENTS, 90% DE LA POPULATION GALACTIQUE, NE SAVENT PAS CE QU'ILS VEULENT.

ILS SONT HABITUÉS À LAISSER LES AUTRES PRENDRE DES DÉCISIONS À LEUR PLACE...

ILS SONT BÊTEMENT CONTENTS D'EUX...

ILS ACCEPTENT LES COUPS DU SORT COMME UNE FATALITÉ...

ILS NE FONT PAS DE PROJETS PAR PEUR DES CRITIQUES, RÉPRIMENT LEUR ÉNERGIE SEXUELLE OU LA GASPILLENT SANS LA TRANSFORMER EN ACTE CRÉATIF...

ILS VIVENT AU MILIEU D'ÉMOTIONS NÉGATIVES, LA PEUR, LA JALOUSIE, LA HAINE, LA VENGEANCE, L'AVIDITÉ, LA PARESSE, LA COLÈRE...

ILS PARAISSENT GENTILS, MAIS, AU FOND D'EUX-MÊMES, CE SONT DES ASSASSINS, ET COMME ILS N'OSENT PAS TUER CEUX QU'ILS DÉTESTENT, ILS S'AUTO-DÉTRUISENT PETIT À PETIT...

NOUS DEVONS PROFITER DE LEURS DÉFAUTS ET DE MANIÈRE DÉTOURNÉE, SUBLIMINALE, LES ENCOURAGER...

PLUS IL SERA UN RATÉ, PLUS LE CITOYEN ACHÈTERA NOS JEUX POUR SE FABRIQUER ARTIFICIELLEMENT UNE VIE DE JOUISSANCE ET DE TRIOMPHES...

BRAVOO!

NOOON!

NOOON! JE NE VEUX PAS! JE NE PEUX PAS LE CROIRE! LA CRÉATION DE JEUX NE PEUT ÊTRE AUSSI ABJECTE!

ET CE N'ÉTAIT QU'UN DÉBUT. MONALBINO CRUEL ME TRAÎNAIT SANS CESSE À L'ÉCOLE VIRTUELLE, OÙ J'APPRIS À LEURRER, À DISSÉQUER LES FAIBLESSES DU GENRE HUMAIN, À PROFITER DES MAUX DE L'ÂME POUR VENDRE DES JEUX QUI AVAIENT TOUTES LES PROPRIÉTÉS D'UNE DROGUE...

TU NE TERMINAS PAS UNE SEULE LEÇON SANS VOMIR...

JE CRUS QU'IL N'Y AVAIT PAS DANS L'UNIVERS UN ÊTRE PLUS MEURTRI QUE MOI, ÉGOTISME INFANTILE! MA PAUVRE MÈRE, SANS QUE JE FUS MÊME CAPABLE DE M'EN INQUIÉTER, ÉTAIT PLONGÉE DANS UN ENFER BIEN PIRE...

AVEC L'INVINCIBLE "FURIE VERTE," UN NAVIRE DÉROBÉ À MA MÈRE PAR OULRIJ LE ROUGE, À LA TÊTE D'UN ESSAIM DE MINI-CUIRASSÉS DE TYPE OSTROYCE, COMMENÇA À PILLER LES CONVOIS PANTECHNOS.

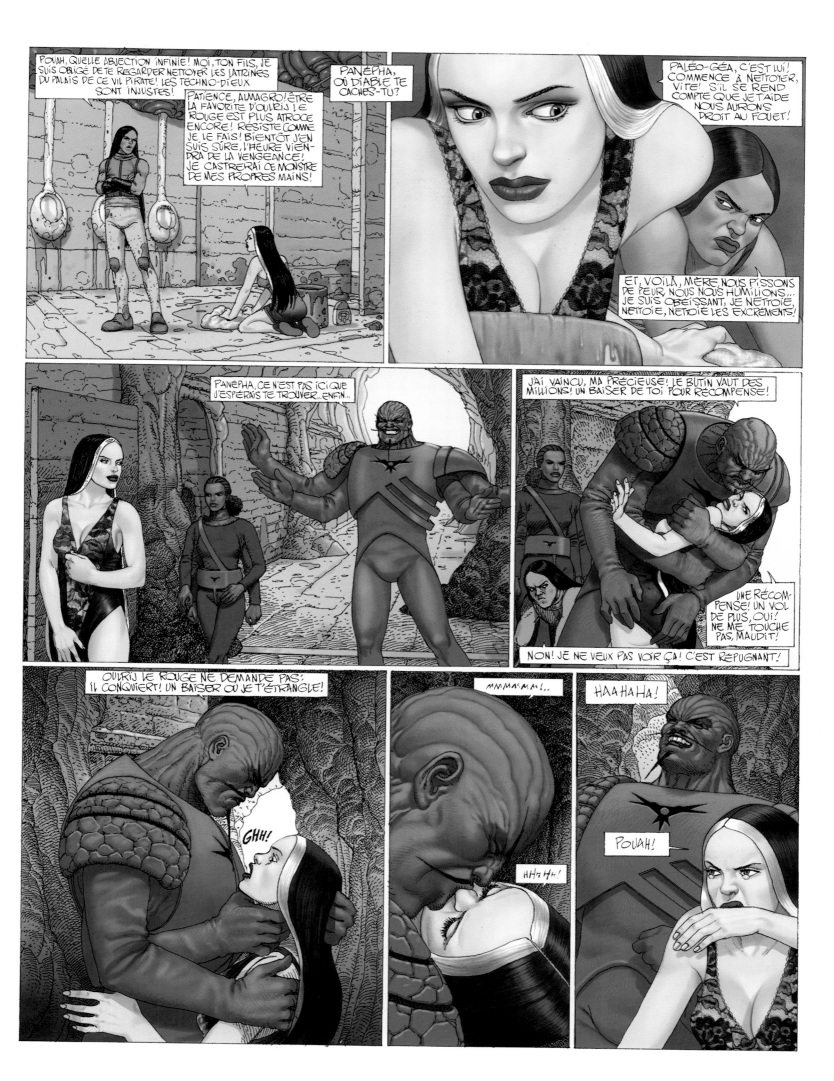

NE NIE PAS, HYPOCRITE, JE TE PLAIS! CHAQUE NUIT, TU GÉMIS DE PLAISIR...

JE NE VEUX PAS ENTENDRE, C'EST ATROCE...

MON CORPS N'EST PAS MON ÂME, LE PLAISIR QUE TU DONNES À MA CHAIR ALIMENTE L'INCENDIE DE HAINE QUI CONSUME MON ESPRIT.

HA HA HA! QUAND ELLE PARLE, CETTE FEMELLE EST UNE PRINCESSE, MAIS QUAND ELLE FAIT L'AMOUR, C'EST UNE LIONNE EN CHALEUR!

ONYX, AIDE-MOI! COMMENT PEUX-TU SUPPORTER QUE TA MÈRE SOIT AINSI HUMILIÉE?

MA MÈRE? JAMAIS AUPARAVANT TU N'AURAIS ACCEPTÉ QUE JE T'APPELLE AINSI, PLONGÉE QUE TU ÉTAIS DANS TES RANCŒURS DE VIERGE OUTRAGÉE! TU M'AS TOUJOURS CONSIDÉRÉE COMME UNE TUMEUR MONSTRUEUSE! APPRENDS D'ABORD À ÊTRE LA FEMME DE MON PÈRE! UN JOUR PEUT-ÊTRE SAURAS-TU ÊTRE UNE MÈRE.

ASSEZ DE PLAINTES, PANÉPHA! VIENS AVEC MOI À L'ATELIER DE COUTURE! TU VAS DESSINER POUR NOTRE FILLE LA PLUS BELLE DES ROBES DE MARIÉE! NOUS CÉLÉBRERONS BIENTÔT SES ANARCO-NOCES AVEC LE CHAMPION DE MES CHAMPIONS!

TU VAS L'UNIR À UN BANDIT À TON IMAGE, MONSTRE PERVERS!

PETITE SŒUR, PAR PITIÉ, FAIS QU'ILS ME SORTENT DE LÀ!

TRAVAILLE, FLEMMARD ARROGANT! PENDANT QUINZE ANS, TU M'AS BOTTÉ LES FESSES! AUJOURD'HUI C'EST MON TOUR: TU NETTOIERAS LES LATRINES ET RAMASSERAS LES ORDURES PENDANT QUINZE ANS AVANT QUE JE TE PARDONNE!

AÏE, MON CUL!

UN DÉSIR FÉBRILE ET UNE CUPIDITÉ SANS LIMITE S'EMPARÈRENT DES PIRATES, POUR DOT D'ONYX, OULRIJ LE ROUGE OFFRAIT TOUT LE CHARGEMENT D'HUANAHUASHKA.

DÉSIR ET CUPIDITÉ JUSTIFIÉS, ALBINO, ANARCO-ÉPOUSER CETTE BEAUTÉ ROUGE, C'ÉTAIT ACCÉDER À LA FOIS AU PLAISIR, À LA FORTUNE ET AU POUVOIR.

34

DÈS LE DÉBUT, LA JOUTE SE TRANSFORMA EN UNE CHAOTIQUE FOIRE D'EMPOIGNE...

ORDURE, LA FEMELLE EST POUR MOI!

NON! ELLE EST POUR LE CHAMPION: MOI!

JE NE PEUX PAS VOUS TUER, CONNARDS, MAIS JE VOUS ROMPRAI LES OS!

QUELQUES HEURES PLUS TARD, RESTAIT DEBOUT UN GROUPE DE CHAMPIONS.

PARMI EUX SE DÉTACHAIT OSO LE BORGNE, UN FÉROCE MUTANT DONT L'ŒIL UNIQUE ORNAIT LE SOMMET DU CRÂNE.

BRAVO, MON OSO! TU ES LE PLUS FORT! TU VAS LES ÉCRASER!

QUELLE IDIOTIE, COMME TOUTES LES FEMMES! ENTRE UN POÈTE ET UNE PUANTE MONTAGNE DE MUSCLES, ELLE FAIT LE MAUVAIS CHOIX!

ONYX, ENTHOUSIASTE, ACCLAMAIT LE MONSTRE EN TOUTE INGÉNUITÉ, OUBLIANT QUE CETTE VIOLENCE ANIMALE NE CESSERAIT PAS QUAND SURVIENDRAIT, APRÈS LES NOCES, LE MOMENT DES CARESSES...

36

RONGÉ PAR LA JALOUSIE ET L'ENVIE, GOFH FERMA LA CAVE OÙ ÉTAIENT ENTREPOSÉES LES ARMES...

IL FAUT QUE J'EMPÊCHE CES MAUDITES ANARCO-NOCES!

"...ET COURUT JUSQU'AU QUARTIER DES CONCUBINES À LA RECHERCHE DE PANÉPHA.

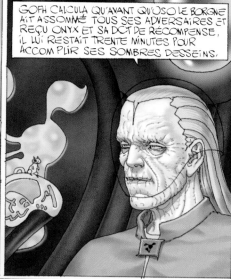

GOFH CALCULA QU'AVANT QU'OSO LE BORGNE AIT ASSOMMÉ TOUS SES ADVERSAIRES ET REÇU ONYX ET SA DOT DE RÉCOMPENSE, IL LUI RESTAIT TRENTE MINUTES POUR ACCOMPLIR SES SOMBRES DESSEINS.

DÉGAGEZ LE PASSAGE, FEIGNASSES, J'AI RENDEZ-VOUS AVEC LA FAVORITE!

TU ES DANS LE GYNÉCÉE PRIVÉ D'OULRIJ! NUL AUTRE QUE LUI NE PEUT PÉNÉTRER ICI!

OUPS!

HALTE! JE VAIS APPELER LES GARDIENS!

TU PERDS TON TEMPS, MA CHÉRIE, ILS SONT TOUS OCCUPÉS PAR LE TOURNOI NUPTIAL! LAISSE-LE PASSER!

QUE SIGNIFIE CETTE INTRUSION?

DAME PANÉPHA, L'HEURE DE VOTRE VENGEANCE EST VENUE! NE PERDONS PAS DE TEMPS EN SALAMALECS!

38

39

ALORS QUE LE BROUHAHA DU TOURNOI TROUBLAIT LE SILENCE DE LA NUIT ARTIFICIELLE, TROIS OMBRES MARCHAIENT VERS LES FÉTIDES OUBLIETTES DE TORTUGA, PLEINES DE NON MOINS FÉTIDES PRISONNIERS.

HOMÉOPUTAIN, QUI OSE FRAPPER À L'HOMÉOPUTAIN DE PORTE DE L'HOMÉOPUTAIN DE PRISON DE NOTRE HOMÉOPUTAIN D'ASTÉROÏDE?

TU NE ME RECONNAIS PAS, KURKO? C'EST GOFH, LE TROUBADOUR DE CONFIANCE D'OUVRIJ LE ROUGE.

IL M'ENVOIE AVEC DEUX IMPORTANTS PRISONNIERS, LE RÉPUGNANT FILS DE THARK LE GRIS, ET SA MÈRE, PANÉPHA, LA TRAÎTRESSE CONCUBINE! ALLEZ, OUVRE!

PAR L'HOMÉOPUTE QUI M'A MISE AU MONDE, DEUX HOMÉOPUTAINS DE PRISONNIERS FOUTREMENT IMPORTANTS! OUVREZ IMMÉDIATEMENT CETTE HOMÉOPUTAIN DE PORTE!

HOMÉOPUTAIN D'HOMÉOPUTAIN! ENTREZ DANS CET HOMÉOPUTAIN DE COULOIR, J'AI PAS DU TOUT ENVIE DE MANQUER L'HOMÉOPUTAIN DE FINAL DE CET HOMÉOPUTAIN DE TOURNOI!

MÈNE-NOUS À L'HOMÉOPUTAIN DE CELLULE DE THARK LE GRIS, OU JE FAIS SAUTER TON HOMÉOPUTAIN DE CERVELLE D'UN HOMÉOPUTAIN DE TIR! ET, AU PASSAGE, OUVRE LES HOMÉOPUTAINS DE PORTES DE TOUTES CES HOMÉOPUTAINS DE CELLULES, FILS DE LA GRANDE BIOPUTE!

CRÈVE, HARPIE! MÊME MORTE, JE TE PRENDRAI!

LES MAINS EN L'AIR, FUMIERS!

TOI?

OUI, MOI! LA VIE EST PLEINE DE REBONDISSEMENTS, SALE TRAÎTRE! JE VAIS TE DÉSINTÉGRER!

NON, THARK! VOUS M'AVEZ FAIT UNE PROMESSE EN ÉCHANGE DE VOTRE LIBERTÉ!

CERTAINEMENT, BEAUTÉ, JE TE LE LAISSE!

43

44

PLACEZ TOUS LES HOMMES D'OULRIJ EN CELLULES! ET CE VER DE TERRE QUI SE PRÉTEND MON FILS, FAITES-LUI NETTOYER LES LATRINES!

CETTE FEMELLE PEUT-ELLE ÊTRE MA RÉCOMPENSE?

GGHH!

HA HA, BIEN SÛR ELLE EST À TOI! TU L'AS BIEN MÉRITÉE: ELLE SERA TA RÉCOMPENSE ET TA PUNITION!

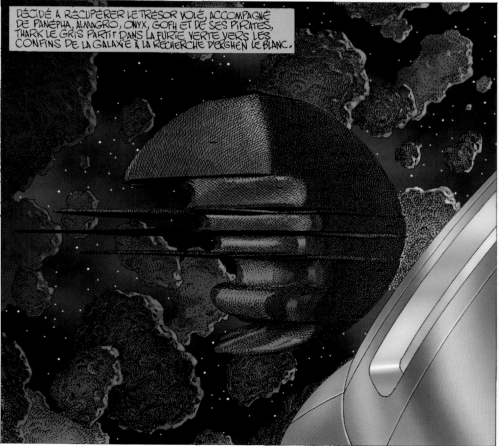

DÉCIDÉ À RÉCUPÉRER LE TRÉSOR VOLÉ, ACCOMPAGNÉ DE PANEPHA, ALMAGRO, ONYX, GOFH ET DE SES PIRATES, THARK LE GRIS PARTIT DANS LA FURIE VERTE VERS LES CONFINS DE LA GALAXIE À LA RECHERCHE D'EKGHEN LE BLANC.

MA PAUVRE MÈRE, PLEINE ENCORE DE SA RANCUNE, SUPPORTA PENDANT CE LONG VOYAGE TOUTES LES AVANIES, ATTENDANT L'OCCASION DE TENIR SA PROMESSE DE MUTILER LE BANDIT GRIS ET LE BANDIT BLANC.

AH, QUELLE TERRIBLE HISTOIRE! ET TA PROPRE SOUFFRANCE, AU MÊME MOMENT, N'ÉTAIT PAS MOINDRE, ALBINO....

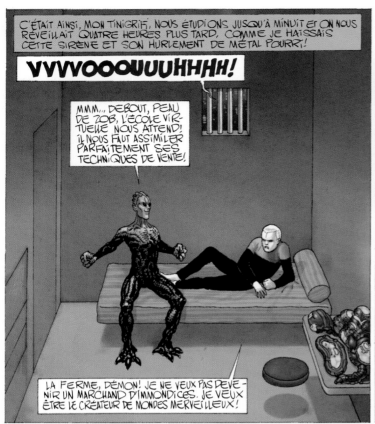

C'ÉTAIT AINSI, MON TINIGRIFI, NOUS ÉTUDIONS JUSQU'À MINUIT ET ON NOUS RÉVEILLAIT QUATRE HEURES PLUS TARD, COMME JE HAÏSSAIS CETTE SIRÈNE ET SON HURLEMENT DE MÉTAL POURRI!

VVVVOOOUUUHHHH!

MMM... DEBOUT, PEAU DE ZOB, L'ÉCOLE VIRTUELLE NOUS ATTEND! IL NOUS FAUT ASSIMILER PARFAITEMENT SES TECHNIQUES DE VENTE!

LA FERME, DÉMON! JE NE VEUX PAS DEVENIR UN MARCHAND D'IMMONDICES. JE VEUX ÊTRE LE CRÉATEUR DE MONDES MERVEILLEUX!

CES RÊVES INFANTILES SONT RIDICULES! L'ART EST UN COMMERCE DE PLUS, RIEN D'AUTRE, NOUS DEVONS APPRENDRE À EXPLOITER LA NÉVROSE DE NOS CLIENTS, PRENDS-TOI UNE DOUCHE GLACÉE ET ALLONS-Y!

J'EN AI ASSEZ QUE TU ME DONNES DES ORDRES! L'ÉCOLE VIRTUELLE EST UNE ABOMINATION! IL FAUT QUE J'ARRIVE À T'ENFOUIR UNE FOIS DE PLUS AU FIN FOND DE MON SUBCONSCIENT!

MON MOI SUPRACONSCIENT EST PLUS PUISSANT QUE TOI, POLYMORPHE DÉGÉNÉRÉ!

TU NE PEUX RIEN CONTRE MOI, FOND-TOI DANS MA LUMIÈRE!

LES LOIS DE CET UNIVERS SONT ABJECTES! POURQUOI LA LUMIÈRE DOIT-ELLE TOUJOURS VAINCRE L'OBSCURITÉ?

FONDS-TOI EN MOI POUR QUE, EN-RICHI DE TA FORCE, JE ME DISSOLVE À MON TOUR DANS ALBINO.

FINIE L'ÉCOLE VIRTUELLE!

GULLLP! MES PATTTES TRRREMMMBLENNTTT. S'IIIIIS MEMÊME VOÏIIENTT, IILLLS VONNNT MMMME DÉSINTTTEGRRRER!

CALME-TOI, TU NE CRAINS RIEN, TU ES DE LA MÊME COULEUR QUE LE MUR, ILS NE TE VERRONT PAS.

SI CE RAYON TRAVERSE MA CUIRASSE, IL VA ME RÉDUIRE EN PURÉE! JE SSSENS QUE JJJE VAIS AVOIRRR LA DIARRRRHÉE!

TROUILLARD! JE VAIS CONTRÔLER TES INTESTINS! COMMENCE PAR FRANCHIR LE RAYON! TU ME FAIS PERDRE DE PRÉCIEUSES SECONDES!

TU NE LES PERDS PAS, TU LES GAGNES! TU VEUX QUE JE LAISSE DERRIÈRE MOI UNE TRAÎNÉE NAUSÉABONDE QUE LEURS ROB-NIFLEURS N'AURONT AUCUNE PEINE À SUIVRE? J'Y VAIS!

JJZZJS!

PALÉOCHRIST! POUR UN PEU, J'ÉTAIS CARBONISÉ!

ET MAINTENANT, J'ENTRE COMMENT?

FLÛTE, TU ES RONGEUR, NON? ALORS RONGE L'ENVELOPPE EN PLASTOLITE TRANSLUCIDE!

POUAH! C'EST DÉGUEULASSE! J'AURAIS PRÉFÉRÉ DU KAMENVERT!

49

ÇA Y EST! JE SUIS SUR UN ÎLOT DE MÉMOIRE MORTE... MAIS LE LIQUIDE BOUT! L'ORDINATEUR ME CONSIDÈRE COMME LE PIRE DES VIRUS! JE SUIS CUIT!

LES DÉFENSES PAN-TECHNOS SONT PROGRAMMÉES POUR ÉLIMINER LES ARMES CONTEMPORAINES, ELLES NE RECONNAISSENT PAS LES PALÉOPROJECTILES À POUDRE. J'AI CRÉÉ POUR TOI UN OBUS. EN RESTANT À L'INTÉRIEUR, TU TRAVERSERAS SANS DOMMAGES LES PROGRAMMES ANTI-VIRUS.

JE VAIS ENDOMMAGER LES CONNEXIONS! NOUS RISQUONS DE PARALYSER TOUTE LA GALAXIE!

NOUS N'ALLONS PAS LA PARALYSER, MAIS BIEN FAIRE ÉCLATER UNE CRISE PHÉNOMÉNALE! EN AVANT!

BROUSSOUISSS

JE TRAVERSE UN TROUPEAU DE CYBERNOSAURES...

JE PERCE UN TUNNEL DANS UNE CYBERENTULE GÉANTE!

SSWBROOUISS!

GGNNRR

51

ET C'EST AINSI QUE, MORT DE PEUR MAIS RAVI, JE FUS MENACÉ PAR LES PLUS FÉROCES BOURREAUX ET POLICIERS PANTECHNOS...

LE CIEL GROUILLAIT D'INNOMBRABLES ET DESTRUCTEURS NAVIRES PAN-TECHNOS VENUS PAR VOIE INTERSPATIALE DES QUATRE COINS DE LA GALAXIE. UNE CRISE MAJEURE QUE MOI, PETIT ÉTUDIANT, J'AVAIS DÉCLENCHÉE!

RENDEZ-VOUS IMMÉDIATEMENT, OU NOUS DONNONS L'ASSAUT!

ET MAINTENANT, ALBINO, QUI VA NOUS SORTIR DE CE PÉTRIN?

TRÈS SIMPLE, TINIGRIFI, SELON MON PLAN, CE DEVRAIT ÊTRE LE TECHNO-SAINT!

IL EST À NOUS MAINTENANT, C'EST LE CŒUR DE L'ORGANISATION PAN-TECHNO!

SI JE L'EFFACE DES SYSTÈMES PAN-INFORMATIQUES, LA GALAXIE SOMBRERA DANS LE CHAOS!

À QUOI VEUX-TU EN VENIR AVEC CE CHANTAGE?

JE VEUX QU'ON ME SORTE DE CETTE ÉCOLE PÉNITENTIAIRE ET QU'ON M'AFFECTE À LA FABRICATION DE JOUETS! JE NE SUIS PAS UN VENDEUR, JE SUIS UN CRÉATEUR!

ILLUSION! À PEINE AURONT-ILS RÉCUPÉRÉ SAINT SEVERO QU'ILS ACTIVERONT TON COLLIER DÉSINTÉGRATEUR...

VOUS VOUS TROMPEZ TOUS LES DEUX!

JE N'AI INITIALISÉ AUCUN CIRCUIT! VOUS VOUS ÊTES RÉVEILLÉ TOUT SEUL! C'EST IMPOSSIBLE!

UN ÊTRE VIRTUEL N'A PAS BESOIN DE SOMMEIL, PAS PLUS QU'IL NE PEUT MOURIR... CE QUE TU VOIS DE MOI N'EST QU'UNE IMAGE ANTHROPO-HOLOGRAPHIQUE DESTINÉE À SÉDUIRE MES TECHNO-ACOLYTES. EN RÉALITÉ, JE N'AI PAS DE FORME.

JE SUIS LA TOTALITÉ DES CIRCUITS...

JE PEUX ME REPRODUIRE AUTANT DE FOIS QUE JE LE VEUX...

JE SUIS TOUT, JE VOIS TOUT, JE SUIS TOUS LES SEGMENTS À LA FOIS...

QUANT A TON COLLIER...

OH! QUEL CRÉTIN J'AI ÉTÉ! MON PLAN NE VALAIT RIEN! JE MÉRITE QUE VOUS LE FASSIEZ EXPLOSER!

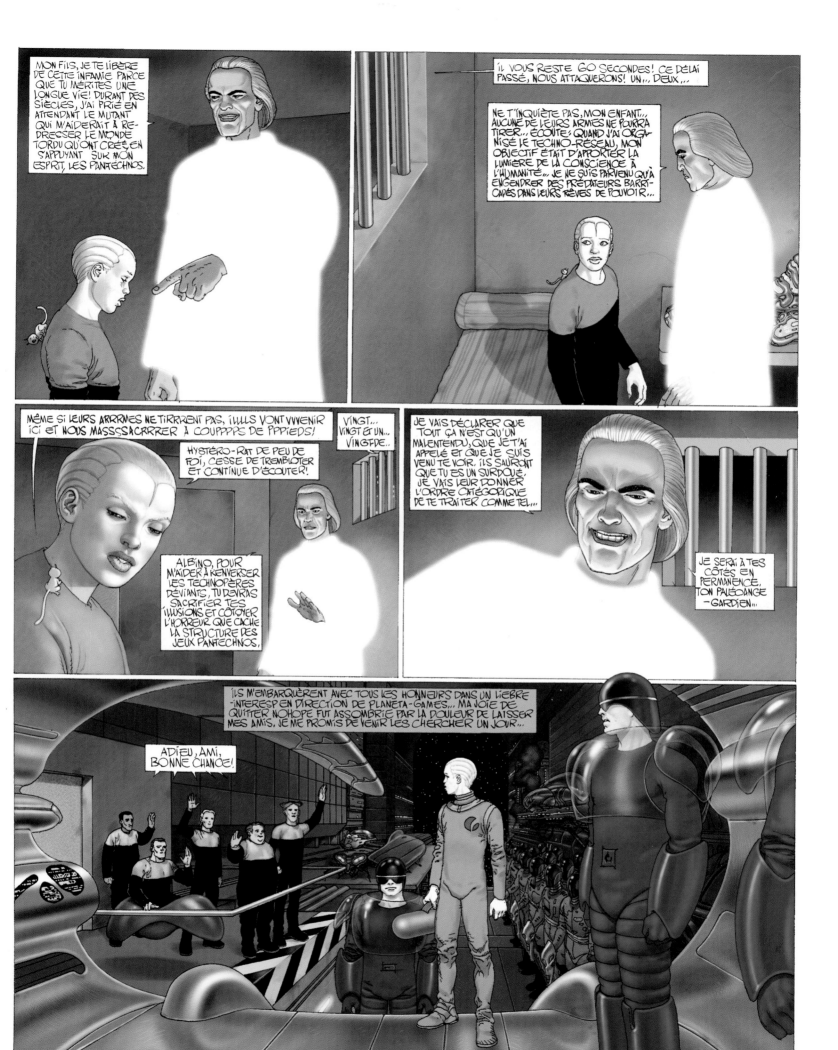

55